PAPIER À BASE DE
FIBRES CERTIFIÉES

hachette s'engage pour
l'environnement en réduisant
l'empreinte carbone de ses livres.
Celle de cet exemplaire est de :
200 g éq. CO$_2$
Rendez-vous sur
www.hachette-durable.fr

Ce livre a été publié pour la première fois en 2015 chez Little Brown sous le titre
« Minions, Who's the Boss? ».
http://www.minions-lefilm.com/
© 2015 Hachette Livre pour la présente édition. Tous droits réservés.
Hachette Livre, 58 rue Jean Bleuzen, 92178 Vanves Cedex.
Dépôt légal : juin 2015. Édition 02. Maquette : Nicolas Galy pour NoOok.
Achevé d'imprimer par PPO Graphic en France en juillet 2015.
Loi n°49-956 du 16 juillet 1949 sur les publications destinées à la jeunesse.

Qui est le chef ?

hachette
JEUNESSE

Sois attentif, toi qui es fan des Minions !

Cherche les mots suivants lors de ta lecture.

Sauras-tu tous les repérer ?

T-Rex

homme des cavernes

pyramides

banane

Tu vois ces drôles de créatures jaunes ?

Ce sont les Minions.

Les Minions sont petits et ronds.

Ils ont plein de noms… comme Dave, Paul,

Carl et Mike.

Chaque Minion est différent, mais tous
ont le même but : servir le maître
le plus méchant du monde.

Pendant des millions d'années,
les Minions ont erré sur Terre à
la recherche du parfait méchant, celui
qui serait digne de devenir leur maître.
Les maîtres n'étaient pas difficiles
à trouver… mais ils étaient difficiles
à garder !
À chaque fois, quelque chose allait
de travers…

D'abord, il y eut T-Rex.

Les Minions suivirent l'impressionnant dinosaure alors qu'il marchait d'un pas lourd dans la forêt.

Ils lui grattèrent le dos.

Ils lui frottèrent la tête.

Mais, par erreur, ils l'envoyèrent

droit dans le cratère d'un volcan…

– Oups ! s'écrièrent les Minions.

Puis, il y eut l'homme des cavernes.
Les Minions l'aidèrent à combattre
des animaux sauvages.

Enfin… la plupart du temps !

Les Minions servirent ensuite certains des plus grands Hommes historiques. Ou du moins, ils essayèrent de le faire…

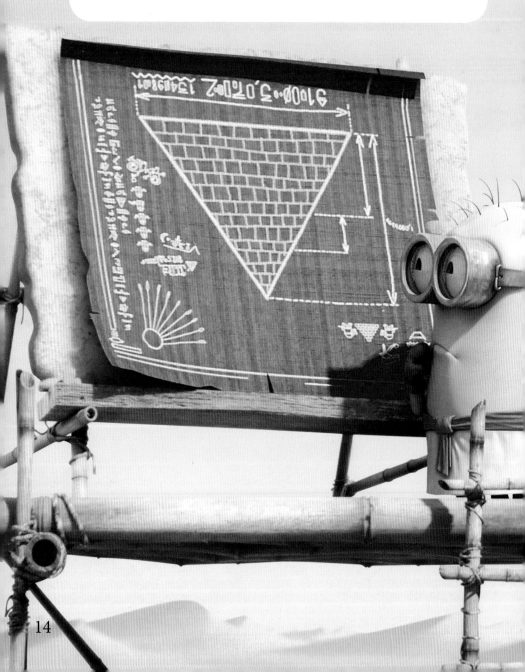

Ils bâtirent les pyramides en Égypte,
mais ils les construisirent à l'envers.
Évidemment, cela causa la chute
des pyramides… en plein sur le pharaon !

Les Minions élurent alors Dracula
pour maître, jusqu'à ce qu'ils réduisent
accidentellement le vampire en poussière !

Les Minions passèrent
d'un méchant diabolique
à un autre sans jamais pouvoir
trouver le bon maître.

Ils se sont même tenus aux côtés du général
le plus féroce et le plus petit du monde.
Il s'avéra que les Minions n'étaient pas de
très bons soldats…

Malgré leurs échecs, les Minions
ne perdirent pas espoir.
Et pourtant, ils connurent
beaucoup d'échecs…

Après s'être fait chasser par l'armée
du petit général, les Minions décidèrent
de construire un village.
Celui-ci était assez grand pour abriter
la tribu entière.

Là, les Minions étaient
en sécurité.

Ils avaient une situation stable.

Ils possédaient tout ce dont
ils pouvaient avoir besoin.

Pourtant, quelque chose n'allait pas…
Sans méchant à servir, ils n'avaient plus
de raison d'être.

Sans but à atteindre,

ils devinrent tristes.

Les Minions ne savaient pas

quoi faire de leur temps.

Mais tout n'était pas perdu,
car un Minion avait un plan !
Ce Minion s'appelait Kevin.

Kevin décida de quitter le village
des Minions. Et il ne reviendrait
que lorsqu'il aurait trouvé le plus grand
et le plus machiavélique des méchants
à servir !
Mais pour cela, il avait besoin d'aide.
– La gars, dit Kevin. Quié vient moi ?

– Moi venir ! répondit Bob, le plus
petit des Minions.

Il mourait d'envie de se rendre utile.

Au fond de la place, une autre main
s'éleva.

Stuart s'était fait porter volontaire par
ses amis tandis qu'il faisait une sieste.
Et c'est ainsi que trois Minions
se préparèrent pour un voyage héroïque.

Kevin était fier.

C'est lui qui sauverait sa tribu.

Stuart avait faim.

C'est lui qui mangerait cette banane.

Et Bob, alors ?

Bob était effrayé par le voyage

qui les attendait.

Mais il savait que tant qu'ils resteraient

ensemble, tout irait bien.

– C'est parti ! s'écrièrent
en chœur les trois Minions.
Il était temps d'aller trouver
un nouveau méchant !